ÉTINCELLES

HAÏKUS

Monique Paradis

ÉTINCELLES

Les Éditions David remercient de leur appui :
Le Conseil des Arts du Canada,
le ministère du Patrimoine canadien,
par l'entremise du Partenariat interministériel
avec les communautés de langue officielle (PICLO),
le Secteur franco-ontarien du Conseil des arts de l'Ontario
et la Ville d'Ottawa.

Elles remercient également :
Coughlin & Associés Ltée,
le Cabinet juridique Emond Harnden,
la Firme comptable Vaillancourt ◆ Lavigne ◆ Ashman.

Données de catalogage avant publication (Canada)

Paradis, Monique, 1939-
Étincelles / Paradis, Monique.

Poèmes.
ISBN 2-922109-80-1

1. Titre.

PS8581.A6833E84 2002 C841'.6 C2002-903337-3
PQ3919.2.P26E84 2002

Maquette de la couverture : Pierre Bertrand
Illustration : Pierre Bertrand
Mise en pages et montage : Lynne Mackay

Les Éditions David, 2002
1678, rue Sansonnet
Ottawa (Ontario) K1C 5Y7

Téléphone : (613) 830-3336
Télécopieur : (613) 830-2819
Courriel : ed.david@sympatico.ca
Internet : www3.sympatico. ca/ed. david/

Le Conseil des Arts du Canada | The Canada Council for the Arts

À ma mère qui m'a donné vie en risquant la sienne
À mon amour et ma muse, Roland Brouillard
À mes sœurs, Françoise et Louise
À l'équipe d'hémodialyse de l'Hôtel-Dieu de Montréal

Sans leur présence et leur appui,
il n'y aurait jamais eu d'Étincelles.

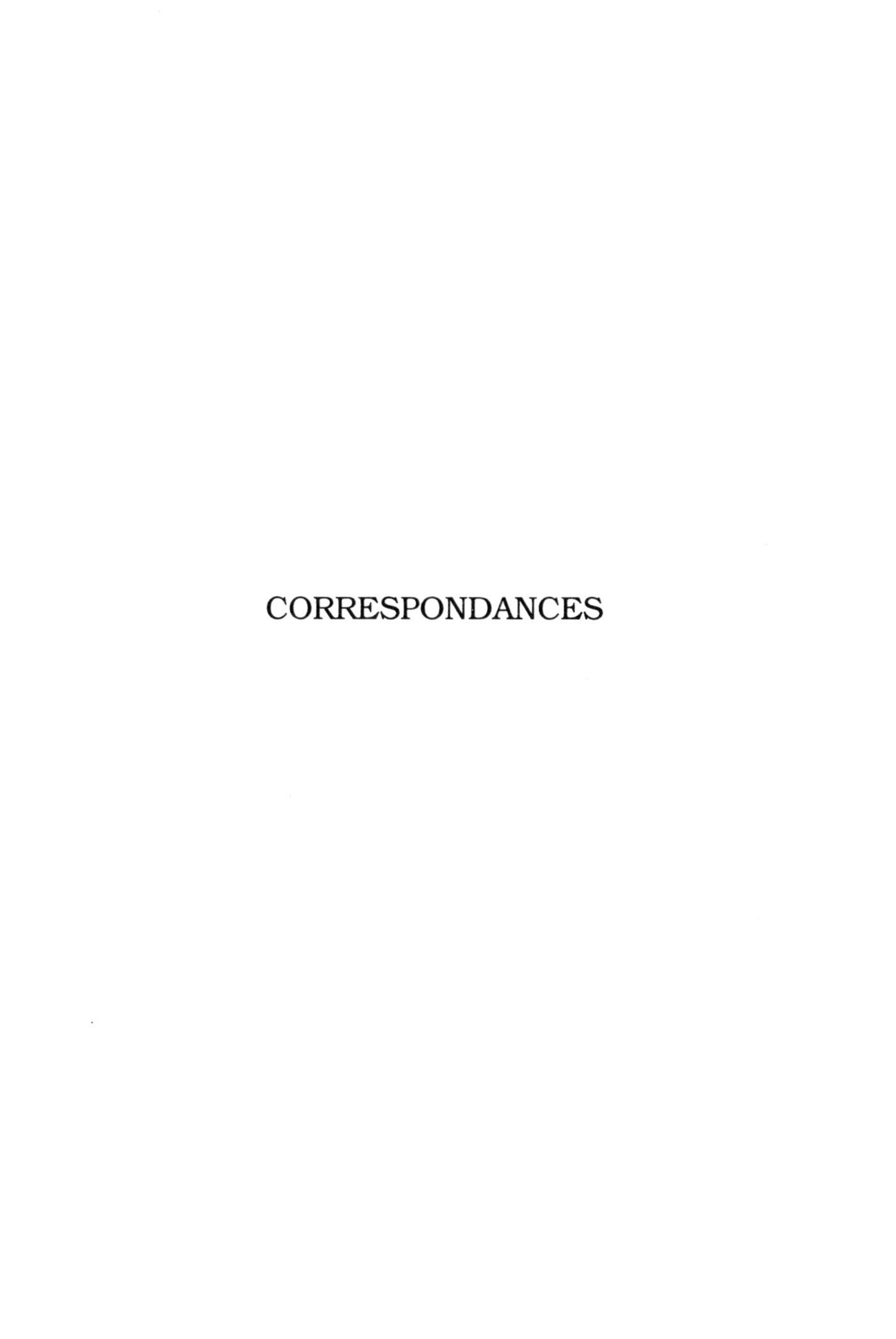

CORRESPONDANCES

quatre-saisons en fleurs
auprès de l'escalier
boules de neige bleues

vers l'est, le vent bascule
suaire du crépuscule
sous un ciel enflammé

le souffle de l'automne
se faufile en août
aux aiguilles des pins

de l'ouest mugit le vent
moutons blancs sur le fleuve
carouges dans les fardoches

au bal des lucioles
symphonie des grillons
feu de camp sur la grève

vol rouge du cardinal
chuchotis dans les saules
grondement aux écluses

mystères de la terre
atmosphère et marées
le soleil assoiffé...

clochettes des muguets
au nectar de juin
un colibri vient boire

dans le vert des vieux saules
plumage couleur de feu
rencontre « cardinalice »

orpailleurs de l'aurore
cherchant pépites de vie
canetons entassés

décroissant de la lune
et clins d'yeux des étoiles
concerto d'un grillon

dans les champs, verts sillons
visite d'un monarque
becquée aux oisillons

taches d'argent au ciel
migration des outardes
moutons dans les prairies

reflets d'argent fugaces
dans le sombre feuillage
où murmure le vent

patène du soleil
sur la cime des arbres
sequins d'or sur les flots

l'œil sanglant du soleil
bandé de nuages blancs
regarde la mer Rouge…

au secret des cailloux
les fleurs dorment encore
sous leur toiture d'hiver

or et vermillon
sur le gazon roussi
outardes en partance

ciel rempli de coups d'aile
petits bateaux de pêche
soleil voilé de brume

pas lents d'un héron gris
dans l'onde irisée
gémissent les tourterelles

légère ombrelle de brume
protégeant les lis d'eau
d'un soleil rutilant

quelques rayons d'or pâle
sur la nappe froissée
de l'eau bleue qui frissonne

douce et moite est la nuit
un crapaud solitaire
coasse sa mélancolie

canards au fil de l'eau
à la brune tombante
outardes à tire d'aile

toutes ailes déployées
à fleur d'eau moirée
envol du grand héron

concert des ouaouarons
réfugiés sous le quai
libellules à l'écoute

comme feuilles d'automne
moineaux qui atterrissent
dans le carré de grains

envolée des outardes
entre un soleil d'or fin
et la lune blafarde

souffle le vent du large
branches en escarpolette
pour les frêles mésanges

longues houles vert doré
déferlant sur le sable
sous le souffle automnal

canards en file indienne
nez au vent de suet
batillage en ourlets

des appeaux oubliés
sur un chemin de pluie
balisé de bouées

au bord des Outaouais
vent frisquet
envol des sansonnets

affiquet de plumes
au chapeau d'un vieux chêne :
chardonneret jaune

des giselles d'écume
au dos des vagues bleues
quand chantent les baleines

sur les cheveux hirsutes
des rives de novembre
première chute de neige

pieds dans les flaques d'eau
devant les sculptures de glace
enfants éblouis

dans les grands cèdres
pareils à des flèches rouges
vols des cardinaux

trônant avec les merles
des bruants couronnés
au royaume des stèles

adieu de mille oiseaux
aux sommets des grands frênes
gazouillis des cascades

lambris aux cieux d'octobre
comme plumes de mésanges
temps de la venaison

mêlant leurs blancs coups d'ailes
aux moutons blancs des flots
mouettes dans le vent

forteresse de brume
entourant mon château
absence des oiseaux

envol des tourterelles
au fleuve qui roucoule
et roule vers la mer

chant joyeux du merle
au faîte d'un grand frêne
appel au bonheur

nuit chaude et moite
chant de la rivière
sur son lit de cailloux polis

pressentir l'automne
dans les églantiers fanés
et la pluie d'août

odeur de feuilles brûlées
vent du soir
frissons sur la rivière

éclairs et tonnerre
les fenêtres pleurent
le chat dort sur le tapis

au-dessus du lac
arabesques des hirondelles
aube mauve

un goéland plonge
dans les nénuphars jaunes
plainte d'une tourterelle

branches dénudées
feu de camp du matin
un corbeau guette les miettes

soleil du matin
dans les vitres givrées
dentelles de topaze

frisons verts sur les branches
premières hirondelles
cœurs-saignants au jardin

entre les camaïeux gris
du ciel et des vagues
patrouillent des goélands

dans le jardin
flocons de neige
sur les œillets encore fleuris

ombres bleues du soir
sur la rivière glacée
dans le poêle, feu de bois

le soleil étame
les vagues glauques du fleuve
flottille de mouettes

des canards parallèles
sillonnent la houle bleue
nuages à la traîne...

dentelles de neige
dans la moustiquaire
clair-obscur de décembre

muret de pierre paré d'hermine
rivière gris perle
moineaux frileux

regard turquoise du ciel
respiration calme du fleuve
miroitement de l'eau

montagne de la Minerve
bouleaux, sapins et pins
chuintement d'une source

en catimini
se répand la brunante
sur les labours gelés

petit matin d'été
aiguail dans le jardin
perlant muguets et roses

trottinant sur la berge
petits pluviers au ventre blanc
cri saccadé des mouettes

staccato des pic-bois
résonnant en forêt
musique des nuages

DESTINS

cratère au Yucatan
flamants roses dans ses eaux
descendants des Incas

ZLEA amorcée
Québec assiégé
murmures de l'eau plombée

droits de l'homme bafoués
citoyens torturés
Chine récompensée

génocide au Rwanda
près d'un million de morts
sans compter le sida...

holocauste au Congo
des enfants de la rue...
silence de l'ONU

la crèche est désertée
dans l'ancienne Judée
l'âne seul est resté

douce pluie de septembre
qui humecte la terre
Afghanistan désert

mouvance des outardes
vers des pays lointains
réfugiés humains...

guerre en Afghanistan
la colombe de la paix
est désormais l'argent

rivière lustrée
statue de la Liberté
gratte-ciel embrasés

triste matin d'automne
des coups de fusil
le long des berges en deuil

des cosaques et des tsars
jihad à Kandahar
sonates de Mozart...

centaines d'oies sauvages
dans l'Anse de Vaudreuil
face aux Indiens en deuil

à Doha, au Qatar,
les géants du dollar
parlant de Kandahar

liserons en septembre
rivière aux flots ambrés
l'Occident pleure

paradis fallacieux
des kamikazes arabes
Allah est-il coupable ?

quand tonnent les canons
d'un Ariel Sharon
qu'en pense Jéhovah ?

dans quelque temps l'érouv *
ceindra la Palestine
que la terreur éprouve

* Fil dont les gens de religion juive entourent leur espace environnant pour sortir hors de leur maison le jour du sabbat.

balancée par la houle
une mouette écoute
les échos de Kaboul

notes de paix
chantées en contrepoint
sur la fugue du temps

dehors, les ténèbres
à l'écran, guerres politiques
sur les vitres, larmes de pluie

enfants du Cachemire
pris entre feux de l'Inde
et ceux du Pakistan

balles tranchant de jeunes vies
tombées sur des herbes froides
dont on ignore le nom

cent cinquante mille morts
pour construire une ville
sur le delta de la Neva

enfants du Pakistan
qui tressent des tapis
pour deux ou trois roupies

nations déchirées
personnes torturées
le Jourdain coule encore

l'Afrique pleure
ses enfants meurent
les hyènes rient

maladie, guerre et faim
héritages des enfants tchétchènes
entassés dans des camps

enfants innus malades
intoxiqués au pétrole
au nord de Terre-Neuve : Hibernia !

Sudbury : horreur bistrée
cratères miniers
*à quatre cents milles de la Russie**

* Richard Desjardins.

comme le Petit Prince
retour sur mon étoile
sourire retrouvé

PAYSAGES

aiguail de l'aube
luisent des parmélies
aux troncs rugueux

glissant sur l'eau calme
canards en escadron
chasse du grand héron

effluves du grand large
et de gazon coupé
roses blanches au parterre

perséïdes dans la nuit
rayons évanescents
ou suie des étoiles ?

balayées par le vent
les herbes de la plaine
regardent l'océan

brume sur le soleil
nénuphars sur l'eau claire
matines au monastère

banc de bois au jardin
effluves de nizeré
grive sur le gazon

aurore lumineuse
pointes vertes des feuilles
des nymphéas naissants

sur la grève de sable
châteaux audacieux
le fleuve les efface

pleine lune en septembre
les arbres aux feuilles d'ambre
silence des grillons

sans sillage, sans trace,
hérons à la poursuite
des rives d'un pays

tout à coup la nuée
portant limaille de fer
entoure le soleil

hautes herbes froissées
qu'octobre parchemine
quenouilles sous la bruine

léger voile de brume
sur les champs labourés
dans la lumière dorée

à l'entrée des Chenaux
clocher de Saint-Michel
souvenirs du Bois Vert...

promenade en canot
magie des rives blanches
silence des branches

séchées au rosier
frissonnant sous le vent d'est
feuilles de l'été

nuages en besace
roulant le lait des étoiles
pour nourrir la Terre

pieds nus en novembre
sur le sentier pierreux
pour quérir le courrier

petits flambeaux éteints
aux parchemins des herbes :
les quenouilles d'octobre

nuages qui ondulent
ridules sur l'eau bleue
chaume blond dans les champs

vingt malards en cortège
en attendant la neige
aux tisons de l'aurore

silence des perles d'eau
au bout de l'aviron
murmure des rapides

voile de brouillard blanc
cloîtrant le Saint-Laurent
jour de recueillement

un soleil rougeoyant
au bout du champ de neige
derrière les coteaux noirs

le train passe rapide et lourd
bruit des roues sur les rails
silence de la neige

la pluie mitraille le fleuve
pont irisé entre les rives
ronds dans l'eau

miroir de la rivière
dans sa chaloupe un pêcheur
silence du vent

brume du lac Saint-Louis
silhouette d'un long bateau
où s'en va-t-il?

ronde la lune apparaît
entre les deux montagnes
de l'autre côté du lac Chapleau

sur la rive d'en face
un écran de fumée
devant les arbres bis

bébé castor sur la queue de sa mère
barrage de branches
étang luxuriant

sol tapissé de feuilles mortes
odeur du feu qui les emporte
ardente agonie des roses

neige du matin
empreintes de pas de chat
fumée des cheminées

stratus frangés d'opale
légères volutes de brume
au-dessus du chenal

au bord des cascades
rochers gris et fougères
horizon ceint de mauve

matin presque languide
la rivière s'étale
en nappe de mercure

sur l'asphalte grise
les flaques d'eau noires
sèchent au soleil

plainte des tourterelles
canards fouissant la vase
alentour des galets

tiré par un héron
rideau du crépuscule
voilant la terre

Table des matières

Autres recueils consacrés au haïku publiés aux Éditions David

BEAUDRY, Micheline et Jean DORVAL, *Blanche mémoire*, Ottawa, 2002.

Chevaucher la lune, sous la direction d'André Duhaime, Ottawa, 2001.

Dire le Nord, sous la direction de Francine CHICOINE et André DUHAIME, Ottawa, 2002.

DUHAIME, André, *Cet autre rendez-vous* (Préface de Robert Melançon), Orléans, 1996, 2e tirage (1999).

DUHAIME, André et Gordan ŠKILJEVIĆ, *Quelques jours en hiver et au printemps* (Dessins numériques de Louise Mercier), Orléans, 1997.

DUHAIME, André et Carol LEBEL, *De l'un à l'autre* (accompagné des encres de Gernot Nebel), Orléans, 1999.

Éphémère, ouvrage collectif, Ottawa, 2002.

FAUQUET, Ginette, *Ikebana*, Ottawa, 2002.

GAUTHIER, Jacques, *Pêcher l'ombre*, Ottawa, 2002.

Haïku sans frontières : une anthologie mondiale, sous la direction d'André DUHAIME, Orléans, 1998, 2e tirage (2001).

Haïku et francophonie canadienne, sous la direction d'André DUHAIME, Orléans, 2000.

PAINCHAUD, Jeanne, *Soudain*, Ottawa, 2002.

PARADIS, Monique, *Étincelles*, Ottawa, 2002.

RAIMBAULT, Alain, *Mon île muette*, Ottawa, 2001.

RAIMBAULT, Alain, *New York loin des mers*, Ottawa, 2002.

Rêves de plumes, ouvrage collectif, Ottawa, 2001.

Saisir l'instant, ouvrage collectif, Orléans, 2000.

VOLDENG, Évelyne, *Haïkus de mes cinq saisons*, Ottawa, 2001.

Achevé d'imprimer
en août 2002
sur les presses de l'imprimerie AGMV-Marquis
Cap Saint-Ignace (Québec)
Canada